György Ligeti

1923 – 2006

Sonate

für Violoncello solo

ED 7698

ISMN 979-0-001-08012-5

SCHOTT

Mainz · London · Berlin · Madrid · New York · Paris · Prague · Tokyo · Toronto

Ove Nordwall gewidmet

Durata: ca. 9′

Sonate
für Violoncello solo
(1948/53)

I. Dialogo

Adagio, rubato, cantabile

György Ligeti
(1923–2006)

*) Pizzicato-Glissando: Die Griff-Finger stets kräftig auf die Saiten aufdrücken (etwas Vibrato).

II. Capriccio

Presto con slancio

sub. Presto

arco

ff

sub. **p**   **pp**   dim. poco a poco

_ _ _ _ _ _ _ *) _ _ _ _ _ (dim.) _ _ _ _ _ _ _ _ _ _ _ _ **ppp**

pp   gliss.

gliss.   *f*

*) Die Akzente auf der leeren A-Saite werden durch ein gleichzeitiges Pizzicato in der linken Hand unterstützt. (Akzente trotz des Diminuendo).